Elizabeth
Blackburn Christie

Written by
Jenny Jamieson

Illustrated by
Boris Lee (Lí Sîn-hô)

Taiwanese Consultant
Tân Kim-hoa

Taiwanese P.O.J Translator
Tân A-pó

Taiwanese Proofread
Ngô͘ Ka-bêng (Hê-bí)

Mandarin Translator
Robert R Redman (周長志)

Elizabeth Blackburn Christie was born to a pharmacist's family in Glasgow about 155 years ago. She and her three brothers were home schooled by their mother before attending primary schools. Elizabeth loved reading and could write well when she was just five years old. Her parents were Presbyterian Christians and often took the children to Barony Parish Church near their home on Sunday mornings.

Tāi-iok tī chit-pah gō͘-cha̍p-gō͘ nî chêng, I-lī-sa-pe̍k (Elizabeth Blackburn Christie) tī So͘-kek-lân (Scotland) Go-lá-su-go͘h (Glasgow) chhut-sì. In a-pah teh chò io̍h-chè-su. I kap saⁿ ê sió-tī bô khì ha̍k-hāu tha̍k-chheh. In a-bú tī chhù--nih kà in siá-jī tha̍k-chu. I-lī-sa-pe̍k put-chí-á hèng oa̍t-tho̍k. Gō͘-hòe ê sî tio̍h ē-tàng siá-chok. In pē-bú lóng sī So͘-kek-lân Tiúⁿ-ló Kàu-hōe ê sìn-tô͘. Ta̍k lé-pài-ji̍t, in kui ke-hóe-á ē chòe-tīn khì kàu-hōe chò lé-pài. Chit ê kàu-tn̂g hō chòe Bé-lo-nih kàu-tn̂g (Barony Parish Church), sī Go-lá-su-go͘h hia kî-tiong chi̍t keng siōng ū-miâ--ê.

Elizabeth loved to go to Sunday school and listen to the stories of missionaries who worked in the Far East, especially Formosa (now Taiwan).

"People in the villages built their houses of mud and bamboo, They often suffered from fever and ague by the lowness of their dwellings." The minister at the Sunday school was reading a letter from Rev. Hugh Ritchie. He was the first missionary to Formosa from the Presbyterian Church in the UK.

"What do they eat for supper?" asked little Elizabeth.

I-lī-sa-pėk chiâ^n ài siōng chú-jıt-óh. I tėk-piảt ài thia^n chú-jıt-óh ê kàu-su kóng kó͘, kóng in hông phài khì tang-pêng chiok hn̄g ê só͘-chāi, tī hia hoat-seng ê tāi-chì. Tėk-piảt sī tī Hō͘-mó͘-sah (Formosa, Tâi-oân) soan-kàu ê sî, tú--tiȯh ê tāi-chì.

"Hō͘-mó͘-sah ê lâng koàn-sì iōng thô͘-kak kap tek-á lâi khí-chhù. In-ūi tòa tī chit-chióng kē-chhù-á, in tiā^n-tiā^n jiám tiȯh chit-chióng ē hō͘ lâng hoat-sio ê pē^n." Chú-jıt-óh ê kàu-su kā phoe liām hō͘ tāi-ke thia^n, chit-tiu^n phoe sī Lí-hiu bȯk-su kià--tńg-lâi-ê. Lí-hiu bȯk-su sī thâu chit ê hō͘ Eng-kok (United Kingdom) Tiú^n-ló Kàu-hōe phài-khì Hō͘-mó͘-sah soan-kàu ê bȯk-su.

I-lī-sa-pėk chiâ^n hò^n-hiân, mn̄g kóng, "In sù-siông àm-tǹg chiȧh siá^n-miȯh?"

"Good question! They don't have much meat, and they eat very simply. Sweet potatoes and vegetables are their chief food; they will kill a fowl or a goat on birthdays or holiday occasions. The weather is very humid and hot, people get ill very easily. If they cut themself or get bitten by wild animals, they often die of severe infections. So, our medical missionary doctors will have to travel from this village to another to see the patients and save people's lives. The children from the Church in Greenock donated £6 to buy quinine. They sent it to Mr Ritchie at Takao, Formosa [now Kaohsiung, Taiwan] to save people's lives."

"I would love to be a medical missionary one day when I grow up!" said little Elizabeth. The teacher smiled at little Elizabeth and said, "That is very ambitious, Elizabeth! I will be very proud of you if you do!"

"Chin hó ê būn-tê! In bô siá^n teh chia̍h bah. In pêng-siông-sî-á chia̍h-si̍t chin kán-tan. Chhiā^n-chhiā^n chia̍h--ê lóng sī han-chî kap chhài-se. Tng cheh-ji̍t khèng-chiok ê sî chiah ū thâi ke-á a̍h sī iû^n-á."

"In-ūi thi^n-khì siu^n kòe sip, koh joa̍h, lâng put-sî ē phòa-pē^n. Tng in siū-siong a̍h sī hō͘ tōng-bu̍t kā--tio̍h ê sî, éng-éng ē kám-jiám--tio̍h, tì-kàu pē^n kah chiok giâm-tiōng. Só͘-pái lán ê i-seng thoân-kàu-sū siông-siông ài tī bô kâng ê chng-thâu cháu-chông, kā in tī-liâu. Ū kúi ê ùi Só͘-kek-lân Gu-lí-ne-khoh (Greenock) kàu-hōe lâi--ê gín-á-hia^n kap gín-á-chí, in mā ū koan la̍k Eng-pōng bé Khi-nih-neh (quinine) , kā Khi-nih-neh sàng hō͘ Hō͘-mó͘-sah ê thoân-kàu-sū. Ǹg-bāng in ē-tàng phah-kiù koh khah chē sè^n-miā."

"Tōa-hàn liáu-āu, góa mā siu^n beh chò chi̍t ê i-liâu thoân-kàu-sū." I-lī-sa-pe̍k iáu chin sè-hàn, hèng-chhih-chhih án-ne kóng.

Chú-ji̍t-o̍h ê kàu-su chhiò-bi-bi kā i ìn kóng, "Chiâ^n ū chì-khì! Nā sī lí chin-chiâ^n sêng-kong, góa ē kám-kak chiok kiau-ngō͘."

When Elizabeth attended school, she developed special interests in chemistry, biology, maths, and physics. When she finished her university degree at 18, she decided to study at the medical school in Glasgow. While there, she met and became engaged to the Rev. Duncan Ferguson.

I-lī-sa-pe̍k khai-sí tha̍k-chheh liáu-āu, i tùi hòa-ha̍k, seng-bu̍t, sò͘-ha̍k kap bu̍t-lí, lóng chiok ū hèng-chhù. Tī cha̍p-peh-hòe hit nî, i tāi-ha̍k chhut-gia̍p--ah. Sòa--lo̍h-lâi, i koat-tēng koh beh khì Go-lá-su-gơh I-ha̍k-ī^n tha̍k-chheh. Mā tī hia se̍k-sāi Sòng Tiong-kian bo̍k-su, bóe-chhiú koh kap i tēng-hun.

After five years of studying, she was awarded Triple Medical Qualification (L.R.C.P. & S., Ed.) at 24, becoming the first female to obtain this honour in Scotland.

L.R.C.P. & S., Ed. was a medical qualification awarded jointly by the Royal College of Surgeons of Edinburgh, the Royal College of Physicians of Edinburgh, and the faculty (later Royal College of Physicians & Surgeons of Glasgow), meaning Elizabeth could be a physician, surgeon, and pharmacist. She applied to be a foreign medical missionary to Formosa without a second thought after graduating medical school.

Keng-kòe gō͘-tang jīn-chin ha̍k-si̍p, i tī jī-cha̍p-sì hòe ê sî, the̍h tio̍h saⁿ ê i-ha̍k ha̍k-ūi (lāi-kho i-ha̍k, gōa-kho i-ha̍k, io̍h-ha̍k). Chiâⁿ chòe Sơ-kek-lân le̍k-sú--nih, thâu chi̍t ê tit-tio̍h chit ê kong-êng ê hū-jîn-lâng. Chit ê ha̍k-ūi sī Hông-ka É-tin-boh Gōa-kho-ha̍k-īⁿ, Hông-ka É-tin-boh Lāi-kho-ha̍k-īⁿ kap Hông-ka Go-lá-su-gơh Lāi-kho Gōa-kho Ha̍k-īⁿ kiōng-tông kip-pâi--ê. Tāi-piáu I-lī-sa-pe̍k ē-tàng kāng-sî chò lāi-kho, gōa-kho kap io̍h-chè-su ê khang-khòe. Chhut-gia̍p liáu-āu, i bô koh tiû-tî, sûi koat-tēng beh khì Hơ̄-mớ-sah chò i-liâu soan-kàu ê sū-kang.

Elizabeth finally arrived at Taiwanfoo, Formosa (now Tainan, Taiwan), to join her fiancé, Rev. Ferguson.

After a few months' work in Formosa, Elizabeth and Rev. Ferguson travelled to Hong Kong to marry and had their "working" honeymoon in Macao. A few days later, they returned to Tainan; Elizabeth opened her clinic in Sin-Lau Hospital.

Elizabeth and Rev. Ferguson often travelled around Southern Formosa, from the cities to the deep mountain's forests, to look after their patients and hold Sunday service.

Bóe--a I-lī-sa-pèk lâi kàu Hō͘-mó͘-sah Tâi-oân-hú (chit-má Tâi-oân Tâi-lâm-chhī). I mā tī chia kap i ê bī-hun-hu Sòng Tiong-kian bòk-su koh chit pái saⁿ-kìⁿ. Keng-kòe kúi kò goèh tàu-tīn chò khang-khòe liáu-āu, in chòe-tīn khì Hiong-káng (Hong Kong) teng-kì kiat-hun, koh khì Ò-mñg (Macao) soan-kàu kiam lú-hêng. Kúi-kang āu, in tńg-lâi kàu Tâi-lâm. I-lī-sa-pèk khai-sí tī Sin-lâu Pēⁿ-īⁿ kā lâng khòaⁿ pēⁿ. I-lī-sa-pèk kap Sòng Tiong-kian bòk-su chhiāⁿ-chhiāⁿ tī Tâi-oân lâm-pêng sì-kè cháu-chông. Ùi chhim-soaⁿ nâ-lāi kàu tōa-tơ-chhī, chiàu-kờ hoān-chiá, ah-sī chú-chhî kàu-hōe lé-pài.

An accident happened to Rev. Ferguson while travelling from Eastern Formosa back home, not long after their wedding.

"Hurry! Dr Christie! Rev. Ferguson was shot accidentally by the hunters on the way back. Now he was sent to Sin-Lau Hospital." A man had rushed to Elizabeth's clinic while she attended a patient.

Oh, dear! It's too dangerous to ride a horse across the deep forests; I wish he could use the ship, thought Dr Christie.

Rev. Ferguson liked to ride across the deep forests because he enjoyed the fresh air and the peace of the mountains. After all, they reminded him of Scotland's hills and glens. The deep woods were full of danger, such as the Formosan black bears, Formosan clouded leopard, and Formosan wild boars.

14

Tī in kiat-hun liáu-āu bô gōa kú, Sòng Tiong-kian bȯk-su ùi Tâi-oân tang-pêng tńg-lâi Tâi-lâm ê tiong-kan, tn̄g tiȯh chiâⁿ giâm-tiōng ê sū-kò͘.

"I-lī-sa-pȯk, khah kín--leh! Sòng bȯk-su ùi Tâi-tang (chit-má Tâi-oân tang-pō͘) tńg--lâi ê sî, tī soaⁿ-téng hō͘ phah-lȧh ê lâng hut m̄-tiȯh--khì, ka phah tiȯh-siong--ah! Chit-má tng beh sàng khì Sin-lâu Pēⁿ-īⁿ." Chit ê cha-po͘-lâng hiông-hiông kông-kông chông jȧp-khì I-lī-sa-pȯk chín-toàn-sek, kín-tiuⁿ kah tōa-siaⁿ hoah.

"Ah! Khiâ bé kòe chhim-soaⁿ sȧt-chāi siuⁿ kòe gûi-hiám. Hit-tang-sî góa èng-kai ài hō͘ i chē chûn khì Tâi-tang chiah tiȯh." I-lī-sa-pȯk àm-chīⁿ tī sim-lāi hoân-ló kah.

Sòng Tiong-kian bȯk-su chin kah-ì khiâ bé thàng-kòe Tâi-oân tiong-pō͘ ê sim-lîm. Tī soaⁿ--nih, i put-chí-á hiáng-siū. I siōng kah-ì chheng-khì ê khong-khì kap tiām-chiuh-chiuh ê khoân-kéng. Chia ê kéng-tì hō͘ i siūⁿ khí So͘-kek-lân ê soaⁿ-gȧk. M̄-koh mā chin gûi-hiám, soaⁿ--nih ū Tâi-oân o͘-hîm, Tâi-oân hûn-pà kap Tâi-oân soaⁿ-ti.

So when they visited the churches in the Taiwanese indigenous villages in the mountains, they had to be very careful. Besides the wild animals, they had to watch out for the hunters because they might accidentally shoot them when hunting in the dark or mistake them for enemies.

Luckily, with Elizabeth and the help of other doctors in Sin-Lau Hospital, Rev. Ferguson recovered quickly and immediately returned to his missionary work.

Só-pái, tng in pài-hóng soaⁿ lāi goân-chū-bîn kàu-hōe ê sî, in ài chin sè-jī. M̄-nā ài chù-ì tōng-bu̍t, mā ài chim-chiok phah-la̍h--ê. In-ūi in khó-lêng ê hông tòng chòe tōng-bu̍t ah-sī te̍k-jîn, soah hō͘ goân-chū-bîn tui i khui-chhèng.

Hó-ka-chài, in-ūi ū I-lī-sa-pe̍k kap kî-thaⁿ Sin-lâu Pēⁿ-īⁿ ê i-seng tàu chiàu-kò͘. Sòng bo̍k-su chiâⁿ kín to̍h khoe-ho̍k kiān-khong, koh ē-tàng chìn-hêng soan-kàu ê sū-kang.

At that time, many women and babies died in labour or of postnatal illness. The local women and children especially welcomed Dr Christie because she was always kind, never charged them, and refused to receive any gifts. She also was quite humble and collaborated well with Rev. Barclay and Rev. Campbell. They developed many churches in Middle and Southern Formosa and saved many lives.

Dr Christie worked very hard each day. When patients needed her, she would pick up her doctor's briefcase and rush to be with them no matter how late at night it was or how remote the villages were. Her patients were from all over Formosa; When her clinic opened, it was often full of people waiting to see her.

Tī hit ê sî-chūn, chiok chē hū-jîn-lâng kap in--á, tī seng-sán ê kòe-têng, ah sī sán-āu pēn-thiàn tiong-kan kòe-sin--khì. In-ūi I-lī-sa-pek teh tī-liâu ê sî, khòan--khì-lâi lóng chin un-jiû, mā lóng bô beh siu hùi-iōng ah-sī lé-mih. Số-pái tong-tē ê hū-jîn-lâng kap gín-á, lóng chiok kah-ì I-lī-sa-pek. M̄-nā án-ne, I-lī-sa-pek mā chin khiam-pi. I kap Pa Khek-lé bok-su, Kam Ûi-lîm bok-su tâng-chē phah-piàn, tī Tâi-oân tiong-pō· kap lâm-pō· chhòng-lip chin chē kàu-hōe.

I-lī-sa-pek tak-kang lóng un-un khûn-khûn teh chò khang-khòe. M̄-koán gōa-nī-á hīng, ah-sī gōa-nī-á òan, nā ū hoān-chiá su-iàu tī-liâu, i ē sûi kā sian-sin ê kha-báng kōan--khí-lâi, khì kā in tī-liâu. Choân Tâi-oân lóng ū i chiàu-kò·--kòe ê hoān-chiá. Piān-nā i ê chín-số ū khui-mîg, tán beh khòan chín ê lâng, toh lóng pâi-tūi pâi kah ná tîg-chôa-tīn.

In addition, she frequently forgot to eat or sleep when looking after her patients. Even when she was very pregnant, she still travelled from Tainan to Lombay (Now Sió-liû-khiû, a remote island in the southwest of Taiwan). In June of 1893, after seeing some patients, Dr Christie gave birth to her first daughter. She named her Hazel Lombay Ferguson to remember where her baby girl was born. A year later, Dr Christie gave birth to her second child. Soon after that, she returned to help other women and children.

Lēng-gōa, i tiā^n-tiā^n in-ūi chiàu-kò͘ hoān-chiá, soah bē-kì-tit chia̍h-pn̄g a̍h-sī hioh-khùn. Liân i ū-sin--ah, mā koh beh ùi Tâi-lâm khì Lóng-bè (Lombay, chit-má hō-chòe Sió-liû-kiû, sī chi̍t ê tó-sū, tī Tâi-oân se-lâm-pêng) kā hoān-chiá khòa^n-pē^n. It-pat-kiú-san-nî la̍k--goe̍h, i khòa^n-chín kiat-sok bô gōa kú, siōng tōa-hàn ê cha-bó͘-kiá^n sûi tī Sió-liû-kiû ê kàu-hōe lāi chhut-sì. Ūi tio̍h beh kì-liām chit chân te̍k-pia̍t ê keng-giām, i koat-tēng beh kā gín-á hō-chòe: Hé-jo̍h Lóng-bè (Hazel Lombay Ferguson).

Koh kòe chi̍t tang, i tē jī ê hāu-se^n mā chhut-sì. I iû-goân bô siá^n hioh-khùn, to̍h koh sûi tńg-khì kè-sio̍k i-liâu sū-kang, chiàu-kò͘ hū-jîn-lâng kap gín-á.

In 1895, with the Treaty of Shimonoseki, Taiwan's full sovereignty and that of other territories, together with all fortifications, arsenals, public property, and so on, were ceded to Japan. On October 20th, a Tainan citizen came to Dr Christie and Rev. Ferguson and asked for help.

"Dr Christie! Rev. Ferguson! The Japanese troops are coming from the north and the south, and they might arrive in Tainan tomorrow morning!" one man said as he knocked on the door hastily.

"Hurry! Let's go to Rev. Barclay," Rev. Ferguson said. "Elizabeth, please gather all the women, children, and the elders in the town. Tell them to stay calm and pray." After giving a quick note to Elizabeth, Rev. Ferguson rushed to speak with the citizens and Rev. Barclay in the Tainan Theological College and Seminary.

After a lengthy discussion, Rev. Barclay asked the citizens to write a letter to authorise him and Rev. Ferguson to talk to the Japanese Army. At nine o'clock at night, Rev. Ferguson and Rev. Barclay carried lanterns and a Union Jack flag, sang church psalms, and walked with nineteen citizens. They left Tainan and went to where the Japanese Army camped and saved the city.

While Rev. Ferguson played a peace mediator role, Dr Christie stayed with her young children and many petrified citizens. She acted in the most critical and courageous role in town by comforting people's hearts.

It-pat-kiú-ngō͘-nî cha̍p-goe̍h jī-cha̍p, Ji̍t-pún kap Tiong-kok chhiam Má-koan Tiâu-iok. Tiong-kok kā Tâi-oân choân tó, kî-thaⁿ sió-tó kap choân tó ê kiàn-siat lóng koah-niū hō͘ Ji̍t-pún. Chi̍t ê Tâi-lâm chhī-bîn lâi kàu I-lī-sa-pe̍k sian-siⁿ kap Sòng Tiong-kian bo̍k-su tòa ê só͘-chāi, chhōe in tàu-saⁿ-kāng.

"I-lī-sa-pe̍k sian-siⁿ! Sòng Tiong-kian bo̍k-su! Ji̍t-pún kun-tūi ùi lâm-pak nn̄g-pêng hiòng Tâi-lâm chia lâi--ah. Èng-kai bîn-á-chài thàu-chá tio̍h ē kàu Tâi-lâm-siâⁿ mn̂g-kha-tau!" Chi̍t ê cha-po͘-lâng ná lòng mn̂g ná hoah.

Sòng Tiong-kian bo̍k-su kóng, "Khah-kín--leh! Lán lâi khì chhōe Pa Khek-lé bo̍k-su." Sòa--lo̍h-lâi, kā I-lī-sa-pe̍k kau-tài, "I-lī-sa-pe̍k, chhiáⁿ lí kā siâⁿ--nih só͘-ū ê hū-jîn-lâng, gín-á kap sī-tōa-lâng chi̍p-ha̍p chò-hóe. Kā in kóng lán sim-thâu tio̍h hōaⁿ-tiāⁿ, jî-chhiáⁿ ài ūi lán ka-kī lâi kî-tó." Kóng soah, Sòng Tiong-kian bo̍k-su kóaⁿ-kín khí-sin kap chhī-bîn chò-hóe khì Tâi-lâm Sîn-ha̍k-īⁿ chhōe tong-sî ê īⁿ-tiúⁿ Pa Khek-lé bo̍k-su.

Keng-kòe siông-sè thó-lūn, Pa Khek-lé bo̍k-su chhiáⁿ chhī-bîn siá chi̍t tiuⁿ phoe. Hit tiuⁿ phoe siū-khoân i kap Sòng Tiong-kian bo̍k-su khì hâm Ji̍t-pún kun-tūi tâm-phòaⁿ. Àm-sî káu tiám, Sòng Tiong-kian bo̍k-su, Pa Khek-lé bo̍k-su kap kúi ê chhī-bîn, lóng-chóng cha̍p-káu ê lâng. In chhiú kōaⁿ kó͘-á-teng, koh gia̍h Eng-kok kok-kî. Ná kiâⁿ ná chhiùⁿ si-koa, hiòng Ji̍t-pún kun-tūi tah-iâⁿ ê só͘-chāi khì. Lō͘-bóe, in sêng-kong chín-kiù kui ê Tâi-lâm-siâⁿ.

Tng Sòng Tiong-kian bo̍k-su teh pān-ián hô-pêng sú-chiá ê sî, I-lī-sa-pe̍k sian-siⁿ kap in ê gín-á kò͘-siú tī Tâi-lâm-siâⁿ, pôe-phōaⁿ kiaⁿ-hiâⁿ ê chhī-bîn. Tī chit-tia̍p chiok koan-kiàn ê kòe-thêng tiong-kan, i chò-phōaⁿ, an-tah chhī-bîn ê sim.

Summer in Formosa was very humid and hot. Besides the weather, notorious tropical diseases, such as malaria, killed many people daily. Even the doctors with the best medical training were no exception. In 1896, Dr Christie fell seriously ill, and the doctors suggested she take a holiday back to Scotland. Rev. Ferguson rushed her back to Scotland to receive proper medication and rest to recover from the hard work.

During their stay in Scotland, they had their third child in 1897. While there, Dr Christie shared her experiences in the churches around Scotland. People were very interested in and touched by her work in Formosa and wanted to support her.

Tī Hō͘-mó͘-sah, joa̍h--lâng sī chiok àu-joa̍h. Tû-liáu thiⁿ-khì ê iân-kò͘, mā ū chiâⁿ chē lâng jiám tio̍h Ma-lá-lí-á kòe-sin--khì. Che sī tī jia̍t-tài tiāⁿ chhut-hiān ê chi̍t khoán pēⁿ. Tō sǹg chiap-siū kòe choan-gia̍p hùn-liān ê sian-siⁿ, mā kāng-khoán ū khó-lêng ē tio̍h-pēⁿ. It-pat-kiú-lio̍k-nî, I-lī-sa-pe̍k jiám tio̍h Ma-lá-lí-á, phòa-pēⁿ kah kài siong-tiōng. Sian-siⁿ kā i kiàn-gī ài tńg-khì Sơ-kek-lân hioh-khùn. Sòng bo̍k-su sī-sôa chhōa I-lī-sa-pe̍k kap gín-á tńg khì Sơ-kek-lân, sūn-sòa chiap-siū oân-chéng ê tī-liâu. Bô gōa kú, I-lī-sa-pe̍k tō khoe-ho̍k kiān-khong. It-pat-kiú-chhit-nî, i tī Sơ-kek-lân chēng-ióng ê sî, i siōng sè-hàn ê hāu-seⁿ sūn-lī chhut-sì. I mā tī Sơ-kek-lân kok-tē ê kàu-hōe ián-káng, hun-hióng tī Hō͘-mó͘-sah ê kang-chok keng-giām. Chiok chē lâng hō͘ i ê jia̍t-chêng kám-tōng, mā koat-tēng beh kā i chi-chhî.

In 1898, when Dr Christie returned to Formosa with her three young children and Rev. Ferguson, she obtained significant support from the churches in Scotland. This allowed her to give free medicine to the patients and fund the building of her modern hospitals for women and children in Formosa. She didn't want to waste the funders' support.

Therefore, she worked extra hard and eventually fell ill again in 1900.

It-pat-kiú-pat-nî, I-lī-sa-pėk kap Sòng bȯk-su chhōa saⁿ ê iù-gín-á tńg-lâi kàu Hō͘-mó͘-sah. Tī chit ê sî-chūn, i ùi So͘-kek-lân kàu-hōe hia tit-tiȯh chin chē pang-chān. So͘-kek-lân kàu-hōe chàn-chō͘ bián-hùi ê iȯh-á hō͘ hoān-chiá. Koh khah tiōng-iàu ê tāi-chì sī thê-kiong i chu-kim, thang tī Hō͘-mó͘-sah khí-chō thâu chȯ͘ keng choan-bûn khòaⁿ hū-jîn-lâng kap gín-á ê pēⁿ-īⁿ. In-ūi i jīn-ûi bē-tàng ko͘-hū chèng-lâng kā in chi-chhî kap koan-khoán, só͘-pái kèng-ka phah-piàⁿ. Kiat-kiȯk tī it-kiú-khòng-khòng-nî koh chài phòa-pēⁿ.

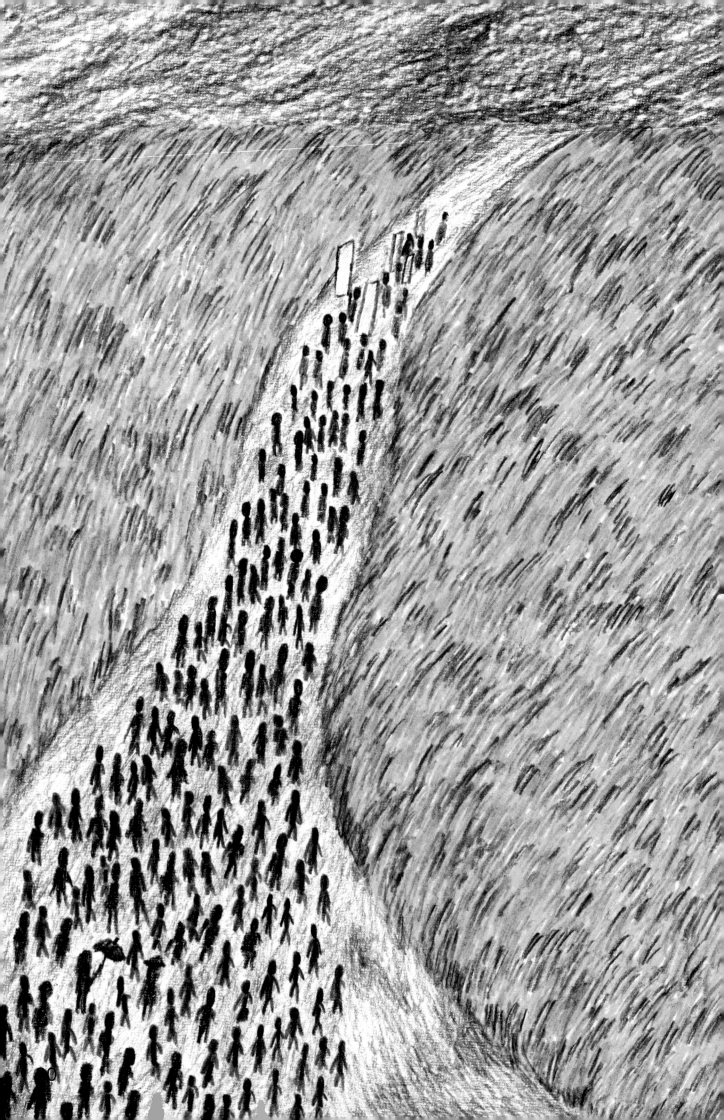

In December of 1900, Dr Christie got malaria the second time, halfway to visit the church in Baksa (now Lāi-mng, Kaohsiung, Taiwan). Dr Christie insisted on seeing all her patients before returning to Tainan. After the trip, her illness worsened.

When she arrived in Tainan, the doctors in Sin-Lau Hospital tried to save Dr Christie's life. However, after forty days of battling the notorious tropical diseases, Dr Elizabeth Blackburn Christie passed away at Tainan Sin-Lau Hospital at age 33 on January 17th, 1901.

This sad news quickly spread, and lots of her patients came to say goodbye at her funeral in Tainan, following the coffin to the cemetery. Rev. Ferguson and the three young children buried their beloved wife and mother in the north entrance tower of Tainan, Formosa.

Tī it-kiú-khòng-khòng-nî chảp-jī--goẻh, I-lī-sa-pẻk sian-siⁿ koh chài khì Bảk-sa Kàu-hōe (chit-má Tâi-oân Ko-hiông Lāi-mn̂g ê kàu-hōe), mā tī kāng-sî koh tit-tiỏh Ma-lá-lí-á. I-lī-sa-pẻk sian-siⁿ kian-chhî beh tī-liâu số-ū ê hoān-chiá liáu-āu chiah beh tńg-khì Tâi-lâm. Tī tńg--khì ê lō͘--nih, i ê pēⁿ-chêng koh khah siong-tiōng. Tng i tńg-lâi kàu Tâi-lâm Sin-lâu Pēⁿ-īⁿ ê sî, số-ū ê sian-siⁿ lóng chīn-lẻk kā i i-tī. Chóng--sī, tī sì-chảp-kang liáu-āu, I-lī-sa-pẻk sian-sīⁿ tī it-kiú-khòng-it-nî it-goẻh chảp-chhit hit kang, tī Tâi-lâm Sin-lâu Pēⁿ-īⁿ kòe-sin. Hit tang i saⁿ-chảp-saⁿ hòe.

Chit ê pi-siong ê siau-sit chin kín tỏh thoân--chhut-khì. Bat hō͘ I-lī-sa-pẻk sian-siⁿ tī-liâu--kòe ê hoān-chiá lóng lâi kàu Tâi-lâm kap i saⁿ-sî. Sòng Tiong-kian bỏk-su kā siōng sim-ài ê khan-chhiú, saⁿ ê gín-á ê bó-chhin, an-chòng tī Tâi-lâm-siâⁿ Pak-mn̂g ē-kha ê thióng-tōe. Ka saⁿ-sî ê tūi-ngố͘ tn̂g-tn̂g-tn̂g, in iân-lō͘ tòe tī koaⁿ-chhâ āu-piah, kā Tâi-lâm chhī-khu that kah móa-móa-móa.

Dr Elizabeth's nine-year contribution in Taiwan was short but essential. She was the first female doctor with triple modern medical degrees in Scotland and Taiwan. She gave Taiwan the first modern hospital specialising in women and children and saved thousands of lives.

I-lī-sa-pėk sian-si^n tī Tâi-oân chò i-seng káu-tang. Sui-jiân sî-kan m̄-sī kài tn̂g, m̄-koh ū chin koan-kiān ê kòng-hiàn. Tī Tâi-oân, i sī se-hng hiān-tāi i-hȧk ê léng-hȧk--nih, thâu chȧt ê lú-sèng ê sian-si^n. Tī So͘-kek-lân kap Tâi-oân, i mā sī thâu chȧt ê tit-tiȯh sa^n ê i-hȧk hȧk-ūi ê lú-sèng. I tī Tâi-oân khí-chō tē it keng hiān-tāi-hòa, koh sī hū-jîn-lâng kap gín-á ê choan-kho pē^n-ī^n. Kiù-koè chheng-chheng bān-bān ê sè^n-miā.

Bonus
Chapter

Elizabeth Blackburn Christie Nî-tài pió (timeline) (1868.4.3 – 1901.1.17)

1868.04.03, Elizabeth Blackburn Christie was born in Glasgow, Scotland. Her father was a pharmacist, and her mother looked after four children at home.

The family attended Barony Parish Church, the largest Presbyterian congregation in Glasgow. Elizabeth learned much about the Church's overseas missionary efforts, especially from letters and messages from the Far East and Formosa (now Taiwan).

It-pat-liók-pat-nî, sì goéh chhe saⁿ (1868.4.3), Sòng I-lī-sa-pék (Elizabeth Blackburn Christie) sian-siⁿ tī Sơ-kek-lân (Scotland) Go-lá-su-gơh (Glasgow) chhut-sì. I ê a-pah sī ióh-chè-su. I ê a-bú tī chhù--nih chiàu-kờ sì ê gín-á. Sòng I-lī-sa-pék sian-siⁿ ê ka-chók sī tī Bé-lo-nih kàu-tông (Barony Parish Church) ê kàu-khu. Bé-lo-nih kàu-tông sī Go-lá-su-gơh siōng tōa ê chit ê Tiúⁿ-ló Kàu-hōe. Sòng I-lī-sa-pék sian-siⁿ ùi chia hák-síp tióh chiàⁿ chē kàu-hōe tī hái-gōa ài chò ê sū-kang. Ték-piát sī ùi phoe-sìn lâi liáu-kái kàu-hōe tùi tang-pêng chiok hōg ê tē-khu kap Hờ-mớ-sah (chit-má Tâi-oân) ê kòng-hiàn.

1868 年 4 月 3 日宋伊莉莎白醫師出生於蘇格蘭格拉斯哥，父親是一位藥師，媽媽在家照顧四個孩子。宋伊莉莎白醫師家族屬於男爵教區教堂，男爵教區教堂是格拉斯哥最大的長老教會。宋伊莉莎白醫師在這裡，學到了許多教會在海外工作的事功，特別是透過書信瞭解教會在遠東以及福爾摩沙（今臺灣）的貢獻。

Elizabeth was the eldest child, and she had three brothers. When the children were small, they often played in their father's clinic. Their father was a pharmacist and practised dentistry, mostly tooth extractions, from which Elizabeth and her brothers' interest in medicine developed. When they grew up, they became doctors to save people's lives.

Sòng I-lī-sa-pék sian-siⁿ sī chhù--nih siōng tōa-hàn ê gín-á, āu-piah koh ū saⁿ ê sió-tī. Gín-á sî, in tiāⁿ-tiāⁿ tī a-pah ê chín-só chhit-thô. A-pah sī ióh-chè-su, mā sī tng teh sít-síp ê khí-kho i-seng. Tiāⁿ teh chò ê khang-khòe sī kā lâng bán chhùi-khí. Chū hit-tang-sî, in sì ê lâng khai-sí tùi i-hák sán-seng hèng-chhù. Tōa-hàn liáu-āu, in mā lóng chiàⁿ chò i-seng, phah-kiù chiok chē

lâng ê sèⁿ-miā.

宋伊莉莎白醫師是家中長女，後有三位弟弟。他們小時候都在爸爸的診所玩耍，爸爸是一位藥師兼實習牙醫，大多是拔牙的工作。自此，姊弟四人萌生對醫學的興趣。他們長大以後成為醫師，救了很多人。

Elizabeth was clever, and she could read and write well when she was small. When she was five years old, her parents sent her to primary school, and she always got the top scores in every subject. Therefore, when Elizbeth finished her university degree at the age of eighteen, she decided to carry on studying at the medical school in Glasgow, during which time she met and became engaged to the Rev Duncan Ferguson through the Church.

Sòng I-lī-sa-pék chin khiáu, tī i chin sè-hàn tóh ē-hiáu thák-chheh kap siá-jī. Tng i gờ-hòe ê sî, pē-bú koat-tēng beh sàng i khì thák sió-hák. I tiāⁿ-tiāⁿ tit-tióh thâu-miâ. Sòng I-lī-sa-pék tī cháp-peh hòe hit-nî oân-sêng tāi-hák hák-ūi. I koat-tēng beh koh kè-siók tī Go-lá-su-gơh thák i-hák-hē. Tī thák i-hák-hē ê kî-kan, i tī kàu-hōe sék-sāi Sòng Tiong-kian bók-su (Rev Duncan Ferguson). Bô gōa kú, in nōg ê lâng tō tī kàu-hōe tēng-hun.

宋伊莉莎白年紀很小的時候就可以讀跟寫，相當聰慧。當她五歲的時候，父母讓她讀小學，她的成績總是名列前茅。因此，宋伊莉莎白醫師十八歲即完成了大學學業，她決定繼續在格拉斯哥讀醫學系。就讀醫學系期間，她在教會遇見了宋忠堅牧師，而後在教會與宋忠堅牧師訂婚。

In 1891, at the age of 24, after five years of studying, she was awarded a Triple Medical Qualification (L.R.C.P. & S., Ed.), a medical qualification awarded jointly by the Royal College of Surgeons of Edinburgh, the Royal College of Physicians of Edinburgh, and the faculty (later Royal College of Physicians & Surgeons of Glasgow). She was the first and only female to obtain this honour in Scotland, and in the same year, 80 male doctors competed with her.

After graduating from medical school, she immediately applied to travel to Formosa (now Taiwan) to join her fiancé, Rev Ferguson, to start her medical missionary journey. She first arrived in Taiwanfoo, Formosa (now Tainan, Taiwan), in late 1891.

Keng-kòe gō·-nî, tī it-pat-kiú-it nî (1891), Sòng I-lī-sa-pėk sian-siⁿ jī-cha̍p-sì hòe, i tit-tio̍h i-ha̍k ha̍k-ūi. Chit ê ha̍k-ūi sī Hông-ka É-tin-boh Gōa-kho Ha̍k-īⁿ (Royal College of Surgeons of Edinburgh), Hông-ka É-tin-boh Lāi-kho Ha̍k-īⁿ (Royal College of Physicians of Edinburgh) kap Hông-ka Go-lá-su-goh Lāi-kho Gōa-kho Ha̍k-īⁿ (Royal College of Physicians & Surgeons of Glasgow) kiōng-tông kip-pâi. Hit-tang-sî ū peh-cha̍p ê lâm-sèng mā teh kèng-cheng chit ê ha̍k-ūi. Sòng I-lī-sa-pėk sian-siⁿ sī thâu chit ê, mā sī î-it chit ê tit-tio̍h chit ê kong-êng ê lú-sèng. I-ha̍k-hē chut-gia̍p liáu-āu, Sòng I-lī-sa-pėk sian-siⁿ sûi sin-chhéng beh khì Hō·-mó·-sah, kap bī-hun-hu Sòng Tiong-kian bo̍k-su chò-hóe khai-sí i-ha̍k ê sū-kang. It-pat-kiú-it nî nî-té (1891), Sòng I-lī-sa-pėk sian-siⁿ seng lâi kàu Tâi-oân-hú (chit-má Tâi-oân Tâi-lâm-chhī).

1891 年宋伊莉莎白醫師完成了五年的學業，由皇家愛丁堡外科學院、皇家愛丁堡內科學院和皇家格拉斯哥內科外科學院，聯合授予三重醫學資格。當時有八十位男性與她競爭，宋伊莉莎白醫師是蘇格蘭第一位也是唯一獲此殊榮的女性。醫學系畢業以後，宋伊莉莎白醫師直接申請到福爾摩沙，與未婚夫宋忠堅牧師一起，展開她的宣教旅程。1891 年末，宋伊莉莎白醫師先來到臺灣府（今臺南）。

1892.1.9, Elizabeth and Rev Ferguson married in Hong Kong and went on a working honeymoon in Macao. Afterward, they returned to Tainan and began their missionary work around Formosa (now Taiwan). Elizabeth started her clinic that specialised in care for women and children in Tainan Sin-Lau Hospital. (It was the first modern Western hospital in Taiwan, established by the Scottish Presbyterian church missionary Dr. James Laidlaw Maxwell in 1868.)

Tī it-pat-kiú-jī nî, it goe̍h chhe káu (1892.1.9), Sòng I-lī-sa-pėk sian-siⁿ kap Sòng Tiong-kian bo̍k-su tī Hiong-káng (Hong Kong) kiat-hun. Sòa--lo̍h-lâi in khì Ò-mn̂g (Macao) chò khang-khòe kiam bi̍t-goa̍t lú-hêng. Bô gōa kú, in tō tńg-lâi Tâi-oân, khai-sí ūi Hō·-mó·-sah ho̍k-sāi ê sū-kang. Sòng I-lī-sa-pėk sian-siⁿ tī Tâi-lâm Sin-lâu Pēⁿ-īⁿ siat-li̍p hū-jîn-lâng kap gín-á-lâng choan-bûn ê mn̂g-chín. Sin-lâu Pēⁿ-īⁿ sī Só·-kek-lân Tiúⁿ-ló Kàu-hōe Má Ngá-kok i su (Dr. James Laidlaw Maxwell) tī it-pat-lio̍k-pat nî (1868) sêng-li̍p. Sī Tâi-oân tē it keng hiān-tāi-hòa se-i ê pēⁿ-īⁿ.

1892 年 1 月 9 日宋伊莉莎白醫師與宋忠堅牧師在香港完婚，而後到澳門工作順便度蜜月。隨後回到福爾摩沙，展開他們的侍奉旅程。宋伊莉莎白醫師在臺南新樓醫院開設了婦女兒童門診，新樓醫院是臺灣第一間現代西式醫院，1868 年由蘇格蘭長老教會的馬雅各醫師成立。

1893 March, Elizabeth was working in Tainan when her newlywed husband Rev Ferguson almost died on the way home from his visit to Taitung (east side of Taiwan). Instead of travelling by ship, Rev Ferguson chose to ride and walk across the central mountains of Taiwan. The indigenous people mistook him for an enemy and shot him. The bullet went through his chest. Luckily, he was not far from home. With the help of Elizabeth and other doctors at Sin-Lau Hospital, Rev Ferguson recovered quickly and immediately returned to his missionary work.

It-pat-kiú-sam nî saⁿ--goe̍h (1893.3), tng Sòng I-lī-sa-pėk sian-siⁿ teh Tâi-lâm chò khang-khòe ê sî, Sòng Tiong-kian bo̍k-su ùi Tâi-tang (chit-má Tâi-oân tang-pō·) beh tńg-lâi chhù--ni̍h ê sî, chha chit-sut-á to̍h sit-khì sèⁿ-miā. Hit-chūn i chiah tú kiat-hun bô gōa kú niâ. Sòng Tiong-kian bo̍k-su soán-te̍k khiâ-bé kap kiâⁿ-lō·, thàng-kòe Tâi-oân tiong-pō· ê soaⁿ-khu. Goân-chū-bîn kā Sòng Tiong-kian bo̍k-su lia̍h chò sī te̍k-jîn, khui-chhèng kā i tōaⁿ. Chhèng-chí thàng kòe i ê heng-khám. Hó-ka-chài ì-gōa hoat-seng ê só·-chāi, lī in tau bô gōa hn̄g. Sòng I-lī-sa-pėk sian-siⁿ kap kî-thaⁿ Sin-lâu Pēⁿ-īⁿ ê i-seng chò-hóe kā i phah-kiù. Kòe bô gōa kú, Sòng Tiong-kian bo̍k-su to̍h khoe-ho̍k kiān-khong, koh ē-tàng kè-sio̍k soan-kàu ê khang-khòe.

1893 年 3 月宋伊莉莎白醫師在臺南工作時，甫新婚的宋忠堅牧師從臺東（今臺灣東部）回家的路上幾乎喪命。宋忠堅牧師並沒有搭船而是騎乘跟步行穿越臺灣中部的山區，原民們誤以為宋忠堅牧師是敵人而開槍射他。子彈穿過了胸膛，好在意外發生在離家不遠處。宋伊莉莎白醫師與其他新樓醫院醫師的幫忙之下，宋忠堅牧師很快恢復了健康，並即刻回到宣教侍奉的工作崗位。

1893.6.4, Elizabeth worked so hard, and even when she was fully pregnant, she still travelled from Tainan to Lombay (now Sió-liû-khiû, a remote island near Ping Tung, in the south of Taiwan). On that night, she gave birth to her first daughter. She named her Hazel Lombay Ferguson after where she was born.

It-pat-kiú-sam-nî làk-goèh chhe-sì (1893.6.4), Sòng I-lī-sa-pèk sian-siⁿ í-keng ū-sin--ah. I lâi kàu Lóng-bè (chit-má hō-chòe Sió-liû-kiû, sī chit ê tī Tâi-oân se-lâm-pêng, Pîn-tong gōa-hái ê tó-sū) chò khang-khòe. Mā tī hit-àm, i siōng tōa-hàn ê cha-bó-kiáⁿ tī hia chhut-sì. Ūi tiòh beh kì-liām chit chân tèk-piàt ê tāi-chì, i kā gín-á hō-chòe: Sòng Hé-jòh Lóng-bè (Hazel Lombay Ferguson).

1893 年 6 月 4 日宋伊莉莎白醫師在即將臨盆之際來到拉美島（今小琉球，位在臺灣南端屏東外海的一個島嶼），當時 延下第一位女兒，取名為荷澤·拉美·弗格森 (Hazel L   Ferguson) 紀念這個事件。

1894.10.11, Elizabeth gave birth to her second child, a son, Ian Grant Ferguson, in Tainan. She hired a Taiwanese nanny to look after her baby boy and the one-year-old daughter while she continued her medical missionary work. They often left the children at home and travelled over southern Formosa for weeks.

It-pat-kiú-sù-nî, chàp-goèh chàp-it (1894.10.11), Sòng I-lī-sa-pèk sian-siⁿ thâu chit ê hāu-seⁿ tī Tâi-lâm chhut-sì, i ê miâ hō chòe: Sòng Í-àn Gu-lián (Ian Grant Ferguson). In-ūi Sòng I-lī-sa-pèk sian-siⁿ ài kè-siòk tī Hō-mó-sah lâm-pō͘ chò i-liâu kap soan-kàu ê sū-kang, piān-nā chhut-mñg tòh kúi-nā lé-pài. Bān-put-tek-í kā gín-á lâu tiàm chhù--nih, só͘-pái i chhiàⁿ chit ê Tâi-oân-chèk ê ni-bú lâi chiàu-kò͘ nñg ê gín-á.

1894 年 10 月 11 日宋伊莉莎白醫師於臺南誕下第二位小孩，兒子伊恩·葛蘭·弗格森 (Ian Grant Ferguson)。她聘用一位臺灣籍褓姆照顧兩個孩子，自己繼續醫療宣教事功。她常常把孩子們留在家，自己旅行福爾摩沙南部數週。

The local women and children especially welcomed Elizabeth as the male doctors were not allowed to examine women patients. She was always very kind and gentle to her patients and never charged them or refused to receive any gift from them, and she was well-loved by many. She was very humble and collaborated well with male colleagues. She, her husband, Rev Ferguson, Rev Barclay, and Rev Campbell developed many churches in the middle and southern regions of Formosa (now Taiwan) and saved many people's lives.

In-ūi cha-po͘ ê i-seng bē-sái kā hū-jîn-lâng tī-liâu hū-kho ê pēⁿ-chèng, tì-sú tong-tē ê hū-jîn-lâng kap gín-á lóng chin kah-ì chhōe Sòng I-lī-sa-pèk sian-siⁿ. Jî-chhiáⁿ i tùi-thāi--lâng tàk pái to chiok iú-siān koh un-jiû, mā lóng bô beh kā hoān-chiá siu chîⁿ àh-sī lé-mih. Só͘-pái i siū tiòh chiáⁿ chē lâng kèng-ài. I mā sī chit ê put-chí-á khiam-pi ê lâng. I kap Sòng Tiong-kian bòk-su, Pa Khek-lé bòk-su (Rev Barclay), Kam Ûi-lîm bòk-su (Rev Campbell) chò-hóe phah-piàⁿ, tī Hō-mó-sah tiong-lâm-pō͘ chhòng-lip chiáⁿ chē keng kàu-hōe, mā bán-kiù chiok chē lâng ê sèⁿ-miā.

由於當地男醫師不能內診婦女，宋伊莉莎白醫師受到當地的婦女與孩童的歡迎。她總是對她的病人非常友善和溫柔，從不向他們收費或禮物，受到眾人的敬愛。她總是非常謙虛地與男同事們合作無間，與宋忠堅牧師、巴克禮牧師與甘為霖牧師，在福爾摩沙中南部發展了許多教會也救人無數。

The longest night for Elizabeth and Rev Ferguson was 1895.10.20. Because of the Treaty of Shimonoseki, Formosa's full sovereignty and that of other territories, together with all fortifications, arsenals, public property and so on, were ceded to Japan. When the Japanese Army arrived outside Tainan, the citizens were terrified and ran to seek help from Rev Ferguson and Rev Barclay. After a lengthy discussion in the Tainan Theological College and Seminary, a private Presbyterian educational institution in Tainan, founded in 1876 by three Scottish missionaries, Rev Hugh Ritchie, and Dr. James Laidlaw Maxwell (at which Rev Barclay served as the first principal until he retired in 1925), Rev Barclay asked them to write a letter to authorise him and Rev Ferguson to talk to the Japanese Army. At around nine in the evening, Rev Ferguson and Rev Barclay carried lanterns and a Union Jack flag, sang church psalms, and walked with nineteen citizens to negotiate with the Japanese Army. After walking for nearly six hours, they arrived where the Japanese Army was camped and successfully signed a peace treaty at Su's family house (now Su's historical home in Taiye Village, Hunei District,

Kaohsiung City) to save the people in Tainan. The next day, the Japanese Army entered Tainan peacefully, no one was hurt, and no houses were destroyed or burned. The Japanese government and Tainan citizens sent their highest gratitude to Rev Barclay, Rev Ferguson, and Elizabeth because they saved many lives.

It-pat-kiú-ngó͘-nî chàp-goèh jī-chàp (1895.10.20), sī in ang-á-bó͘ chit-sì-lâng siōng tn̂g ê chit mê. Tī Tâi-lâm Sîn-hàk-īⁿ (Chit-keng sîn-hàk-īⁿ sī saⁿ ê Só͘-kek-lân ê bòk-su, Lí-hiu bòk-su (Rev Hugh Ritchie), Má Ngá-kok i su kap Pa Khek-lé bòk-su tī it-pat-chhit-liòk nî (1876) sêng-lìp--ê. Thâu chit ê hāu-tiúⁿ sī Pa Khek-lé bòk-su, i tī it-kiú-jī-ngó͘ nî (1925) thè-hiu.), in an-pâi chin chē sî-kan teh chìn-hêng lāi-pō͘ thó-lūn. Koat-tēng iōng Tâi-lâm chhī-bîn ê miâ-gī siá-phoe, siū-khoân Pa Khek-lé bòk-su kap Sòng Tiong-kian bòk-su, hō͘ in kā phoe-sìn chah--leh, khì hâm Jìt-kun tâm-phòaⁿ. Hit-àm káu-tiám gōa, Pa Khek-lé bòk-su kap Sòng Tiong-kian bòk-su chhiú kōaⁿ kó͘-á-teng, koh giàh Eng-kok kok-kî, kap 19 ê chhī-bîn ná chhiùⁿ si-koa ná ǹg Jìt-pún kun-tūi hia kiâⁿ óa--khì. Keng-kòe làk tiám-cheng, in kàu-ūi--ah. In tī Só͘-ka kó͘-chhù (chit-má Ko-hiông-chhī Ô͘-lāi-khu Thài-giàp-chhun ê Só͘-ka kó͘-chhù) kap Jìt-pún kun-tūi chhiam-tēng hô-pêng hàp-iok, sêng-kong chín-kiù Tâi-lâm chhī-bîn. Keh tn̂g-jìt, Jìt-pún kun-tūi lâi kàu Tâi-lâm, in bô siong-hāi Tâi-lâm chhī-bîn, mā bô phò-hoāi Tâi-lâm ê siâⁿ-chhī. Jìt-pún chèng-hú kap Tâi-lâm chhī-bîn lóng kài chun-tiōng Pa Khek-lé bòk-su, Sòng Tiong-kian bòk-su kap Sòng I-lī-sa-pèk sian-siⁿ, in-ūi in chín-kiù chiok chē lâng ê sèⁿ-miā.

1895 年 10 月 20 日這是宋氏夫婦最長的一晚，由於馬關條約的簽訂，福爾摩沙的主權，領土，及其周邊小島，與其島上的所有防禦工事、軍火庫及公共財產，永久均讓日本。當日軍抵達臺南時，當地居民極其恐懼地尋求宋忠堅牧師與巴克禮牧師的協助。在臺南神學院（此院於 1876 年由三位蘇格蘭宣教師李麻牧師、馬雅各醫師以及巴克禮牧師共同成立，是基督教長老教會訓練傳道人的學校，巴克禮牧師為第一任校長，直至 1925 年退休。）經過冗長的內部討論，由臺南市民親寫一份授權書，授予巴克禮牧師與宋忠堅牧師，帶著書信前去與日軍交涉。當晚九時許，巴克禮牧師

與宋忠堅牧師，帶著燈籠與聯合王國旗幟，唱著教會詩歌，與十九位當地居民前往與日軍談判。步行約六小時以後，他們抵達日軍駐紮地，蘇家古宅（今高雄市湖內區泰業村）與日軍成功簽署和平協定，營救臺南的居民。翌日日軍抵達臺南，無人傷亡，無房舍受到毀壞焚燒。日本政府與臺南居民，對巴克禮牧師、宋忠堅牧師與宋伊莉莎白醫師相當敬重，因為他們救人無數。

In 1896, Elizabeth suffered from malaria and other tropical diseases. She returned to Scotland with Rev Ferguson to receive proper medication and rest. During their stay in Scotland, she gave birth to their third child, second son, Graeme Douglas Ferguson, in 1897.

It-pat-kiú-liòk nî (1896), Sòng I-lī-sa-pèk sian-siⁿ jiám-tiòh ma-lá-lí-á kap kî-thaⁿ jiàt-tài ê pēⁿ-chèng. Sòng Tiong-kian bòk-su chhōa Sòng I-lī-sa-pèk sian-siⁿ tńg-khì Só͘-kek-lân chiap-siū tī-liâu kiam hioh-khùn. Mā tī chit ê kî-kan, it-pat-kiú-chhit nî (1897), in tē saⁿ ê gín-á chhut-sì, sī chìt ê cha-po͘ gín-á, hō chòe: Sòng Gū-liàn-mh Tó͘-go-lo-suh (Graeme Douglas Ferguson).

1896 年宋伊莉莎白醫師罹患瘧疾以及其他熱帶疾病，她與宋忠堅牧師回到蘇格蘭接受適當的治療與休息。1897 年在蘇格蘭休憩期間，誕下第三個孩子，格雷·道格拉斯·弗格森 (Graeme Douglas Ferguson)。

In late 1898, Elizabeth and Rev Ferguson returned to Tainan with their three young children. Elizabeth worked more diligently. She gained support from the Women's Missionary Association in London to provide free medicine to her patients. She also planned to build the first women and children's hospital in Formosa (now Taiwan).

Tī it-pat-kiú-pat nî (1898) nî-té, Sòng I-lī-sa-pèk sian-siⁿ kap Sòng Tiong-kian bòk-su chhōa saⁿ ê iù-gín-á tńg-lâi kàu Tâi-lâm. In-ūi i tit-tiòh Lûn-tun Lú-soan-kàu-sū Hiàp-hōe ka chi-chhî, thê-kiong i bián-chîⁿ ê iòh-á hō͘ hoān-chiá, chit pái tńg--lâi, i pí chìn-chêng koh khah phah-piàⁿ. Siāng-sî, i kè-ōe tī Hō͘-mó͘-sah khí-chō tē it keng hū-jîn-lâng kap gín-á-lâng ê choan-kho pēⁿ-īⁿ.

1898 年末宋伊莉莎白醫師與宋忠堅牧師攜三名幼子回到臺南。這一次，宋伊莉莎白醫師醫師工作更加勤

奮，因為她得到倫敦女宣道會支持，讓她免費為病人醫治並提供藥品。她同時計畫在福爾摩沙設立第一座婦女兒童專科醫院。

December 1900 was the second time Elizabeth got malaria, but she was weaker this time. Dr David Anderson and Dr Tsukiyama Kiichi in Sin-Lau Hospital tried to help her. However, after 40 days, Dr Elizabeth Blackburn Christie passed away at 33 in Tainan Sin-Lau Hospital on 1901.01.17. Two days later, Rev Ferguson and his three young children buried his beloved wife and their beloved mother in the north gate area of Tainan, Formosa (now Taiwan). Per records, the crowd members who said goodbye to the doctor were from all over. Many were women who showed up with the children Elizabeth delivered or saved.

It-kiú-khòng-khòng-nî chảp-jī--goẻh (1900.12), Sòng I-lī-sa-pẻk sian-siⁿ tē jī-pái jiám tiȯh ma-lá-lí-á. Chit pái, i pí téng-kái koh khah siong-tiōng, koh khah hi-jiȯk. Sin-lâu Pēⁿ-īⁿ ê Té-bit i-seng (Dr. David Anderson) kap Chu-kí-iá-mah i-seng (Dr. Tsukiyama Kiichi) chiâⁿ chù-sim kā i tī-liâu. M̄-koh tī sì-chảp kang liáu-āu, it-kiú-khòng-it-nî it-goẻh chảp-chhit (1901.1.17), saⁿ-chảp-saⁿ hòe ê Sòng I-lī-sa-pẻk sian-siⁿ tī Sin-lâu Pēⁿ-īⁿ kòe-sin. Kòe nn̄g kang, Sòng Tiong-kian bȯk-su chhōa i saⁿ ê gín-á, kā i siōng sim--ài ê khan-chhiú, saⁿ ê gín-á ê bó-chhin, an-chòng tī Hō͘-mó͘-sah Tâi-lâm Pak-mn̂g hit tah. Lẻk-sú kì-chài, ū chiok chē bîn-chiòng lâi Tâi-lâm kap in kèng-ài ê Sòng I-lī-sa-pẻk sian-siⁿ saⁿ-sî, kî-tiong ū chiok chē sī bat hō͘ i tī-liâu--kòe ê hoān-chiá. Tn̂g-tn̂g-tn̂g ê tūi-ngó͘ kā Tâi-lâm Pak-mn̂g ê ke-á-lō͘ that kah tiⁿ-móa-móa.

1900 年 12 月宋伊莉莎白醫師第二次得到瘧疾，這一次她更為虛弱，並病入膏肓，新樓醫院的安彼得醫師和月山喜一醫師試著醫治她。然而，仍在四十天之後不治。宋伊莉莎白醫師於 1901 年 1 月 17 日逝世於新樓醫院，享年三十三歲。兩天後，宋忠堅牧師攜三名幼子將摯愛的妻子，孩子們親愛的媽媽，葬在福爾摩沙臺南（今臺灣臺南的南山公墓）。史上記載，有許多民眾前往與這位大家敬愛的醫師道別，長長的人龍擠滿了臺南北門大街，而大多數是曾受到宋伊莉莎白醫師醫治的婦女與孩童。

宋伊莉莎白醫師的故事

Elizabeth
Blackburn Christie

作者　Jenny Jamieson
繪圖　Boris Lee
出版總監　林文欽
出版發行　前衛出版社
地址　10468 台北市中山區農安街 153 號 4 樓之 3
電話　02-2586-5708 傳真：02-2586-3758
郵撥帳號　05625551
Email　a4791@ms15.hinet.net
Web　www.avanguard.com.tw

總經銷　紅螞蟻圖書有限公司
地址　11494 台北市內湖區舊宗路二段 121 巷 19 號
電話　02-2795-3656 傳真：02-2795-4100

Author

Jenny Jamieson

Taiwanese Consultant

Tân Kim-hoa

Taiwanese P.O.J Translator

Tân A-pó

Taiwanese Proofread

Ngô͘ Ka-bêng (Hê-bí)

Mandarin Translator

Robert R Redman (周長志)

Illustrator

Boris Lee (Lí Sîn-hô)

Design & layout

Vank Kang

出版日期　2022 年 11 月 初版一刷

售價 300 元

About The Author

Jenny Jamieson (Tân Tin-nî) a Taiwanese Scottis born in Taiwan and now based in Scotland. Sl loves travelling, Taiwanese/Scottish cultures, ar the histories. Being a female Presbyterian Christia she hopes the stories of those Scottish wome missionaries who left Scotland for Taiwan (since tl late 19th century) may encourage many to chase the dreams bravely, not worrying about their genders sexual orientation.

Thanks to my family and friends, especially to tl Taiwanese folk song singer Giâm Éng-lêng (嚴詠能 and his musical band TakaoRun (Tá-káu Loān-ko thoân, 打狗亂歌團). With their support, I can face tl challenges ahead and make a wee contribution to tl communities.

Thank God! (Kám-siā sîn!)
All praise and glory to the Lord! (It-chhè o-ló ka êng-iāu lóng kui hō chú!)

—Jenny Jamieson (Tân Tin-r

國家圖書館出版品預行編目 (CIP) 資料

宋伊莉莎白醫師的故事：Elizabeth Blackburn
Christie/Jenny Jamieson作；Boris Lee繪圖.
——初版.——
臺北市：前衛出版社, 2022.11 ——面；公分——
ISBN 978-626-7076-46-0(平裝) 中台英對照

1.CST: 宋伊莉莎白(Christie, Elizabeth) 2.CST:
醫師 3.CST: 傳記 4.CST: 英國
784.18　　　　　　　　　　　　　111009228